Stéfanie met un vieux chapeau sur la tête du bonhomme de neige.
Elle enroule une écharpe verte autour de son cou. Enfin, elle pique une plume dans le vieux chapeau.
– Bonjour, Plumeneige ! lance Stéfanie à son bonhomme.
– Fais-moi des bras, dit le bonhomme de neige.
– Des bras ? demande Stéfanie. Ce n'est pas difficile.
Stéfanie s'active. Avec la neige collante, elle fait deux bras au bonhomme.

– Fais-moi des mains, dit Plumeneige.
– Des mains ? s'étonne Stéfanie. Pourquoi pas ?
Stéfanie se remet au travail et fait deux mains avec cinq doigts bien ronds au bout de chacune.

– Maintenant, fais-moi des jambes, demande encore Plumeneige.
Stéfanie tape la neige et fait des jambes à Plumeneige.
– Fais-moi aussi des pieds, dit Plumeneige.
– Oh ! la la, grogne Stéfanie, tu veux beaucoup de choses !
Mais elle fait quand même deux pieds au bonhomme, chaussés de gros souliers.

– Veux-tu me donner un bâton, Stéfanie ? demande Plumeneige en souriant de ses lèvres rouges.
– Tiens ! Prends cette grosse branche.
Plumeneige dégage ses bras, agite ses doigts de neige et saisit le bâton.
Alors, le bonhomme de neige s'en va en s'appuyant sur le bâton.

– Hé ! Plumeneige ! crie Stéfanie. Reviens.
Mais Plumeneige s'éloigne sans se retourner.
Stéfanie est toute triste.

Le lendemain, Stéfanie retourne jouer dehors.
« Si je faisais un ami pour Plumeneige, pense-t-elle, il reviendrait peut-être. »
Cette fois, Stéfanie construit un chien de neige. Il a une toute petite queue et de longues oreilles en neige.

Tout à coup, le chien fait « ouaf-ouaf » et il s'en va.
– Reste ! Reste avec moi ! lance Stéfanie.
Mais le chien en neige court sur le chemin.
Stéfanie a le cœur gros.

Quelque temps plus tard, Stéfanie décide de bâtir une maison avec des blocs de neige.
Pendant des jours et des jours, elle travaille à son projet.

Elle installe des murs, un toit, une cheminée.
Et même une porte qui s'ouvre.
C'est tout un défi de faire une porte qui s'ouvre... en neige.
Quelle belle maison ! Stéfanie est très fière de sa réussite.

Mais ce n'est pas fini !
À l'intérieur, Stéphanie fabrique un lit,
un banc, une table en neige.
Un vrai palais d'hiver !

Et voici qu'un beau jour, par la fenêtre de la maison en neige, Stéfanie voit un vieux chapeau sur la table. Son cœur se met à battre très fort.
Elle s'approche et reconnaît l'écharpe verte posée sur le banc.

Vite, elle ouvre la porte.
Dans le lit, Plumeneige dort.
Il est revenu !
Stéfanie saute de joie.

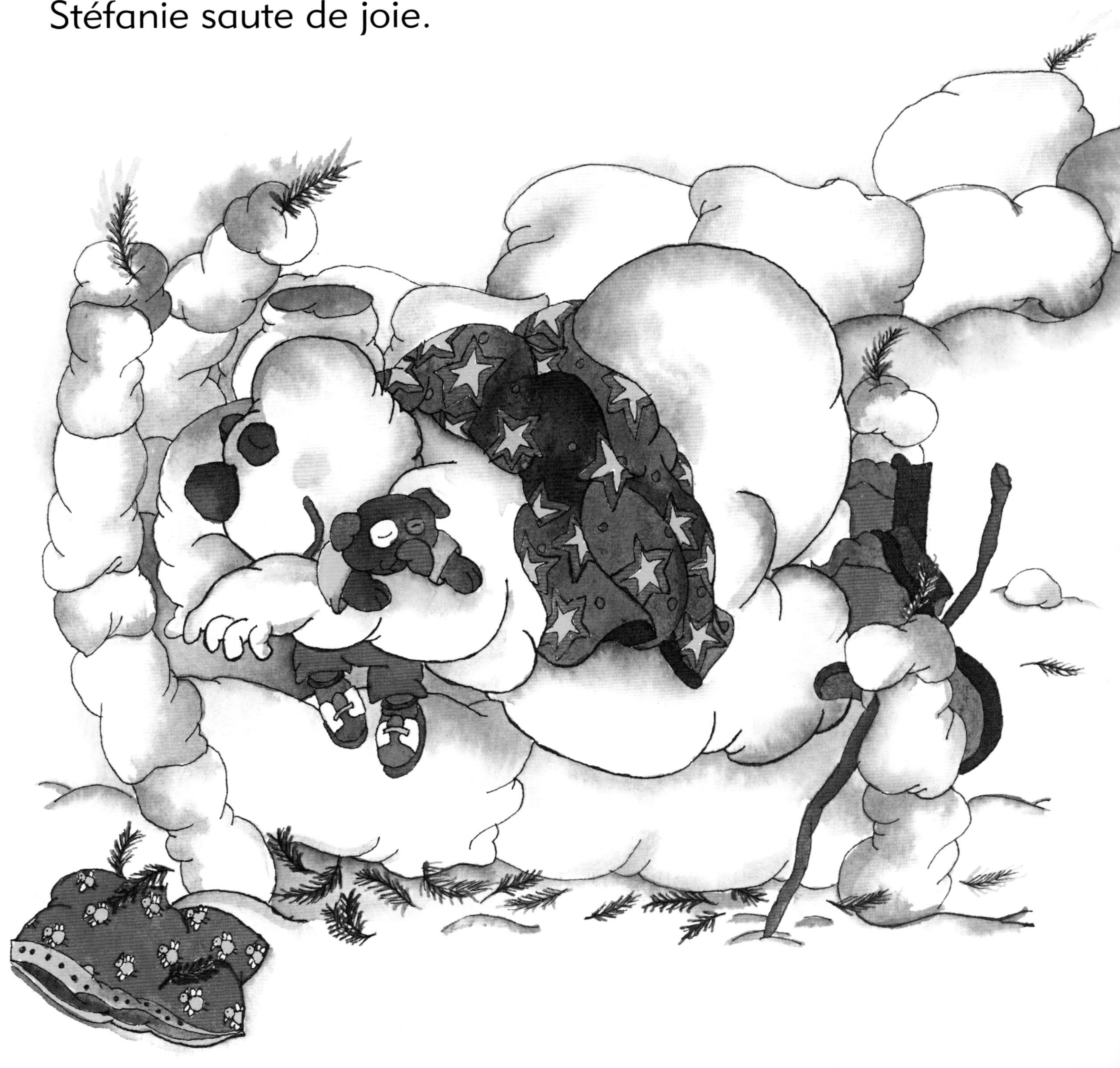

Un peu plus grands

Plumeneige

TEXTE | Cécile Gagnon
ILLUSTRATIONS | Hélène Desputeaux

ISBN 978-2-923506-37-1

CONCEPTION GRAPHIQUE | ARTO design

desputeaux + aubin
Case postale 235, succursale Beloeil
Beloeil (Québec) Canada J3G 4T1
www.desputeauxaubin.com

NOUS SOMMES FIERS DE CRÉER, PRODUIRE
ET DIFFUSER SANS SUBVENTIONS.

DISTRIBUTEURS

Canada
Diffusion Dimedia
539, boulevard Lebeau
St-Laurent (Québec) H4N 1S2
www.dimedia.qc.ca

Europe
Pollen Diffusion
101, rue des Moines
75017 Paris
www.pollen-diffusion.com

Dépôt légal 2013
Imprimé en Chine

Plumeneige

TEXTE : Cécile Gagnon
ILLUSTRATIONS : Hélène Desputeaux

desputeaux + aubin

Ce matin, Stéfanie roule de grosses boules de neige. Il faut beaucoup de boules pour construire un bonhomme. Stéfanie travaille fort.

Elle empile les boules, puis elle fait un nez et des yeux au bonhomme avec des cailloux. Elle lui fait aussi une bouche à l'aide d'une ficelle rouge.